КВА-КВА

МУ-МУ

Олеся Жукова

Мой
первый
словарик

АСТРЕЛЬ
Москва
СОВА
Санкт-Петербург

КНИЖКА ДЛЯ МАЛЫШКИ

Первые годы жизни малыша — это удивительное время. Он открывает для себя мир, учится общаться, произносит первые слова, для начала совсем простые, состоящие из одного-двух слогов: «ав-ав», «кап-кап», «мяу».

Именно такие слова-звукоподражания и легли в основу этой книги. Поиграйте с ребенком, используя книжку и различные предметы. Например, прочитав стишок про кошечку, покажите малышу плюшевого котенка: «"Мяу-мяу!" — говорит кошечка». Читая стишок про дождик, обратите внимание ребенка на звук капающей воды: «"Кап-кап!" — стучат капельки». Малыш обязательно захочет повторить слова вслед за вами.

Разговаривая с ребенком, не упрощайте свою речь, подробно и обстоятельно рассказывайте малышу обо всем, что вас окружает. Помогайте ему каждый день узнавать что-то новое.

Пусть эта книга поможет вашим детям стать умными и талантливыми, учиться весело и с удовольствием.

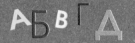

Моя семья

Этот пальчик —
                дедушка,
Этот пальчик —
                бабушка,
Этот пальчик —
                папочка,
Этот пальчик —
                мамочка,
Этот — деточка моя,
Вот и вся моя семья.

ПАПА

МАМА

ДЕДУШКА

БАБУШКА

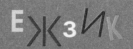

ДЕВОЧКА

МАЛЬЧИК

Кто нас окружает

МЯУ

Вот усатый, как разбойник,
Перепрыгнул подоконник,
Распугал соседских кур,
И мурлыкает: «Мур-мур!»

АВ-АВ

У меня учёный пёс —
Круглой пуговкою нос.
Если в чём-то я не прав,
Громко лает он: «Гав-гав!»

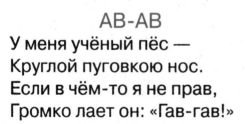

ХРЮ-ХРЮ

Пятачок помоет в луже,
И торопится на ужин.
Отрубей я ей сварю,
Скажет мне она: «Хрю-хрю!»

БЕ

Неспеша шагает с речки,
В шубе ей тепло, как в печке.
Подойдёт она к избе
И зовёт меня: «Бе-бе!»

МУ

Рано-рано поутру
Пастушок: «Ту-ру-ру-ру!»
А коровки в лад ему
Затянули: «Му-му-му!»

ИА

У него большие уши,
Он хозяину послушен.
И хотя он невелик,
Но везёт, как грузовик.

МЕ

Идёт коза рогатая,
Идёт коза бодатая:
Ножками — топ-топ!
Глазками — хлоп-хлоп!
Кто кашки не ест,
Кто молока не пьёт,
Того забодает, забодает.

И-ГО-ГО

Он и стройный, и красивый,
У него густая грива!
Он копытами: «Цок-цок!»
Покатай меня, дружок!

KO-KO-KO
Наши курочки в окно:
«Ко-ко-ко! Ко-ко-ко!»

КУ-КА-РЕ-КУ
А как Петя-петушок
Ранним-рано поутру
Нам споёт: «Ку-ка-ре-ку!»

ЧИК-ЧИРИК

Стайкой шумной прилетели,
Крошки, зёрнышки все съели.
«Чик-чирик! Не робей!
Я — бывалый воробей!»

ГА-ГА-ГА

Переваливаясь важно,
В речку прыгнули отважно!
Там, о чём-то говоря,
Шумно плещутся: «Га-га!»

УХ-УХ

Совушка-сова,
Большая голова,
На суку сидела,
Головой вертела.
Во траву свалилася,
В яму провалилася.

КАР-КАР

Хороша ворона-птица,
Да в певицы не годится.
Как откроет рот — кошмар,
Слышно только: «Кар-кар-кар!»

ПИ-ПИ-ПИ

Длинный хвостик гол у крошки,
«Пи-и-и!» — пищит при виде кошки,
В норке скрыт её домишко,
А зовут малютку — мышка.

Р-Р-Р

Среди зверей
Слывёт царём,
Его зовут
Бесстрашным львом.

АБВГД ЕЖЗИК

ПУХ-ПУХ

Он всю зиму долго спал,
Лапу правую сосал,
А проснулся — стал реветь.
Этот зверь лесной — медведь.

Ф-Ф-Ф

Вместо шёрстки —
Иглы сплошь.
Враг мышей —
Колючий ёж.

КВА-КВА

Зелены мы, как трава,
Наша песенка: «Ква-ква!»
И в лесу мы, и в болоте,
Нас везде легко найдёте—
На поляне, на опушке,
Мы — зелёные лягушки.

Ш-Ш-Ш

Шелестя, шурша травой,
Проползает шнур живой,
Вот он встал и зашипел:
«Подходи, кто очень смел!
Ш-ш-ш-ш-ш!»

Ж-Ж-Ж

Мы — зелёные лягушки.
Только вишня расцвела,
Прилетела в сад пчела.
Я давно за ней слежу,
Ищет мёд она: «Жу-жу!»

З-З-З

Нос-то долог,
Голос-то звонок,
Пищит тоненько,
Кусается больненько.

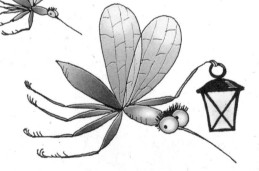

А Б В Г Д   Е Ж З И К

Мои игрушки

О-ПА

Круглый, гладкий и пузатый.
Больно бьют его ребята.
Хоть надут он всегда —
С ним не скучно никогда.

ЛЯ-ЛЯ-ЛЯ

Я — хорошая игрушка,
Буду девочкам подружка,
Я могу сидеть в коляске,
Закрывать умею глазки.

БИ-БИ-БИ

Пьёт бензин, как молоко,
Может бегать далеко,
Возит грузы и людей.
Ты знаком, конечно, с ней?

ТУ-ТУ

Поезд мчится, и шипит,
И колёсами стучит:
«Чу-чу-чу, чу-чу-чу!
Я по рельсам лечу!»

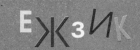

В-В-В
Вот, вот самолёт,
Там дядя пилот,
Самолёт высоко,
Самолёт далеко,
Самолёт летит,
Самолёт гудит: «В-в-в!»

БУМ-БУМ
Деревянные подружки
Пляшут на его макушке,
Бьют его, а он гремит —
В ногу всем шагать велит.

С-С-С

Круглый, гладкий как арбуз...
Цвет — любой, на разный вкус.
Коль отпустишь с поводка,
Улетит за облака.

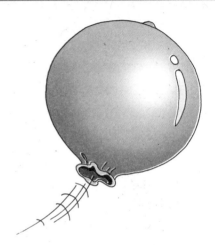

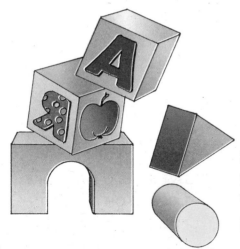

БАХ

Эти чудо-кирпичи
Я в подарок получил.
Что сложу из них — сломаю,
Всё сначала начинаю.

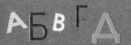

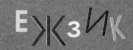

ЧИРК-ЧИРК

Если ты его отточишь,
Нарисует всё, что хочешь:
Солнце, море, горы, пляж...
Что же это? Карандаш!

ПРЫГ-ПРЫГ

Со скакалкой — прыг да скок,
Прыгай весело, дружок!

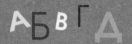

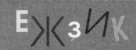

Что нас окружает

АЛЛО

Этот чудо-аппарат
Донесёт быстрее ветра
Голос друга, даже если
Друг — за сотни километров.

ЧИК-ЧИК

Лежу я,
Тихонько в кармане звеня.
Я весь из железа,
Я в щёлку залезу.
Ты в дом ни за что
Не войдёшь без меня!

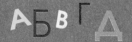 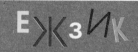

КУ-КУ

Ку-ку, ку-ку, кукушечка,
Лети скорей в лесок,
Ку-ку, ку-ку, кукушечка,
Подай свой голосок!

ТИК-ТАК

Ежедневно в семь утра
Я трещу:
«Вставать пор-р-р-р-р-ра!»

ДИНЬ-ДИНЬ
Сроду я не ем, не пью —
Песни звонкие пою.
Свой железный язычок
Прячу я под колпачок.

ДУ-ДУ-ДУ
Ой ду-ду, ду-ду, ду-ду...
Потерял пастух дуду.
А я дудочку нашла,
Пастушку я отдала.

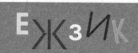

ТУК-ТУК

В наковальню бьём,
Мы подковки куём.
Тук-тук, тук-тук-тук!
Я прибить могу каблук!

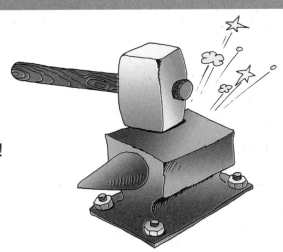

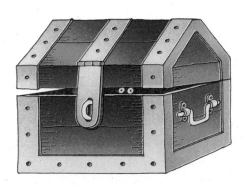

ЩЁЛК

Где у бабушки-старушки
Очень ценные игрушки?
Подрастёт малой внучок —
Откроет внуку сундучок.

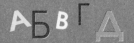

29

БУЛЬК
С мамой поутру вдвоём
Сок полезный, вкусный пьём.

НЯМ-НЯМ
Очень любят деточки
Сладкие конфеточки.

Что я слышу?

Что я вижу?

КАП-КАП

Что же это? Кап да кап!
Мокрые дорожки.
Нам нельзя идти гулять,
Мы промочим ножки.

Дождик, дождик,
Полно лить,
Малых детушек
Мочить!

32

ШЛЁП

Маленькие ножки,
Маленькие ножки!
За водой ходили
Маленькие ножки.
И домой спешили
Маленькие ножки.
Дома танцевали
Маленькие ножки,
Ой, как танцевали
Маленькие ножки!

БУЛЬ-БУЛЬ

Стеклянный дом,
А в доме том
Во все концы
Снуют жильцы.

СКРИП

Кто мяукнул у дверей?
«Открывайте поскорей!
Очень холодно зимой!» —
Мурка просится домой.

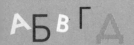

35

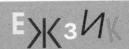

БРЫСЬ!

Уж ты котинька-коток,
Котя, вострый коготок,
Рыбку, Васька, не пугай.
Брысь, скорее убегай!

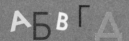 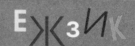

НУ-НУ-НУ!

Нина пальчиком грозит,
Строго кошке говорит:
«Стыдно, Мурка, книжки рвать!
Как же их потом читать?»

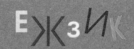

ТОП-ТОП

Большие ноги
Шли по дороге:
Топ-топ-топ-топ-топ,
Топ-топ-топ-топ-топ!
Маленькие ножки
Бежали по дорожке:
Топ-топ-топ-топ-топ,
Топ-топ-топ-топ-топ!

БО-БО

У лисы боли,
У волка боли,
У мишки моего боль,
На берёзку в лес улети!

Ч-Ч-Ч!

Мишка большой,
Мишка не спит,
Мишка — больной,
Зубик болит.

НА!
Как вкусна, ребята, эта
В ярком фантике конфета!
Чем в столе её хранить,
Лучше другу подарить.

ПЛЮХ!
Тает, а не снег,
Не сахар, а сладко.
Дайте мне, купите мне
Вместо шоколадки!

АМ!

Маленькие зайчики
Никогда не плачут.
Маленькие зайчики
По полянке скачут —
От лисы, от волка
Убегают ловко.
И за это мама
Им даёт морковку,
Морковку да капусту
Вкусную-превкусную.
Сели, посидели,
Всю морковку съели!

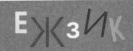

ХА-ХА-ХА!
Две курносые подружки
Мчатся,
  мчатся друг за дружкой.
Обе ленты на снегу
Оставляют на бегу.

ОП!
Меня не растили,
Из снега слепили,
Вместо носа ловко
Вставили морковку.

42

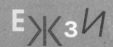

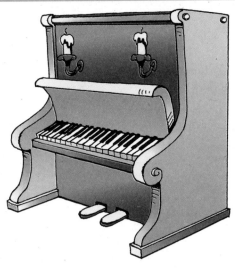

ТРЕНЬ! ЛЯ-ЛЯ-ЛЯ

Пять ступенек — лесенка,
На ступеньках — песенка.
В руки микрофон беру,
Песню весело пою:
«Ля-ля-ля, ля-ля-ля!» —
Льётся песенка моя.

ПЛЮХ!

Наловит мух,
И в воду — плюх!

БУЛТЫХ!

Поскакали, поскакали
С калачами, с калачами!
Вприпрыжку, вприскочку
По кочкам, по кочкам —
Бултых!

 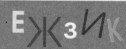

КУП-КУП!

Водичка, водичка,
Умой моё личико,
Чтобы глазоньки блестели,
Чтобы щёчки краснели,
Чтоб смеялся роток,
Чтоб кусался зубок.

А-А-А!

Все котятки
Мыли лапки:
Вот так! Вот так!
Мыли ушки,
Мыли брюшки:
Вот так! Вот так!
А потом они устали:
Вот так! Вот так!
Сладко-сладко засыпали:
Вот так! Вот так!